Nonsense and Happiness

Nonsense and Happiness
By Peter Handke

Translated by Michael Roloff

Urizen Books, New York

Library of Congress Cataloging in Publication Data

Handke, Peter.
Nonsense and happiness.

Translation of Als das Wünschen noch geholfen hat, with original German text.
I. Roloff, Michael. II. Title.
PT2668.A5A7813 831'.9'14 76-22601
ISBN 0-916354-20-2
ISBN 0-916354-21-0 pbk.

Grateful acknowledgment is made to *Partisan Review* and other magazines where these translations appeared first.

Printed in the United States of America
ISBN 0-916354-20-2
0-916354-21-0

To Judith

Contents

Leben ohne Poesie

Für A., für später

In diesem Herbst ist die Zeit fast ohne mich vergangen
und mein Leben stand so still wie damals
als ich aus Missmut Schreibmaschine lernen wollte
und abends in dem fensterlosen Vorraum auf
den Beginn des Kurses wartete
Die Neonröhren haben gedröhnt
und am Ende der Stunde wurden die
Plastikhüllen wieder über die Schreibmaschinen gezogen
Ich bin gekommen und gegangen und hätte
nichts über mich sagen können
Ich nahm mich so ernst dass mir das auffiel
Ich war nicht verzweifelt nur unzufrieden
Ich hatte kein Selbstegefühl und kein Gefühl
für etwas anderes
Ich ging und stand unentschieden herum
wechselte oft den Schritt und die Richtung
Ein Tagebuch das ich schreiben wollte
bestand aus einem einzigen Satz
»Ich möchte mich in einen Regenschirm stürzen«
und das noch versteckte ich in Kurzschrift
Vier Wochen lang hat jetzt die Sonne geschienen
und ich bin auf der Terrasse gesessen
und zu allem was mir durch den Kopf ging

Life Without Poetry

For A., for later

This fall time passed almost without me
and my life stood as still as then
when I had felt so low
I wanted to learn to type
and waited evenings in the windowless anteroom
for the course to begin
The neon tubes roared
and at the end of the hour
the plastic covers were pulled back over the typewriters.
I came and went and
would not have been able to say anything about myself.
I took myself so seriously that I noticed it,
I was not in despair merely discontent.
I had no feeling for myself and no feeling
for anything else.
I walked and stood around aimlessly
often changed pace and direction
A diary I wanted to keep
consisted of a single sentence
"I'd like to throw myself into an umbrella"
And even that I hid in shorthand
The sun has been shining for four weeks
and I have been sitting on the terrace
and to everything that crossed my mind

und zu allem was ich sah
habe ich nur »ja, ja« gesagt

Die Tage gingen wirklich ins Land
und Freunde die sonst arbeiten
haben mich besucht und sind mit mir
auf der Terrasse gesessen
»Wir haben bei der Arbeit schon ganz auf das
Leben vergessen«
sagten sie
aber ich habe die Rolle des Lebenskünslers vor
ihnen nicht spielen können
und sie sind von ihrem Ausflug zufriedener an
ihre Arbeit zurückgekehrt

Es war die Zeit der Natur
und nicht nur die Müssggänger sind naturfromm geworden
Auch die Geschäftsleute begleiteten den
Austausch von Ware and Geld
mit Worten der Unlust darüber
dass sie »an einem Tag wie heute auf das
Geschäft aufpassen« mussten
und ich glaubte ihnen dabei
(mehr als sie sich selber)
Doch als dem Mietwagenfahrer vor mir über
dem Farbenspiel in der Landschaft das Herz aufging
habe ich ihm mürrisch vorgehalten dass es
unzulässig ist
bei Mietwagen die Anfahrt mitzuberechnen

Ich lebte in den Tag hinein und zum Tag hinaus
hatte Augen für nichts
Ich beneidete auch niemanden um seine
Tätigkeit

and to everything I saw
I only said "yes, yes"

The days became truly countrified
and friends who usually work
came to visit me and sat with me
on the terrace
"At work we kept forgetting
all about life"
they said
but I was unable to play the role of the country gentleman for
them
and from their outing they returned
more content to their work

It was the time of nature
and not only idlers became its devotees
Businessmen too attached
to the exchange of goods and money
words of regret
that "they had to do business on a day like this"
and I believed them
(more than they did themselves)
But when the heart of the rent-a-car-driver
spilled before me in the changing colors of the landscape
I grumpily remarked
that it was illegal to charge for
the delivery time of a rented car

I lived into the day and lived out of the day
had eyes for nothing
Nor did I envy anyone's busyness
not from lazyness

nicht aus Faulheit
nicht aus Gleichgültigkeit
sondern weil mir mein Nichtstun im Vergleich
noch vernünftig vorkam
In meinem Stumpfsinn habe ich mich den
anderen überlegen gefühlt
ohne dass mir das freilich half
denn obwohl ich meinen Zustand für ein
Symptom hielt
ging es nur um mich
und darum dass ich nicht wusste was ich wollte
und dass ich den ganzen Tag nur ein schlechtes
Gefühl hatte—
Vor allem habe ich die Augen zu Boden
geschlagen
Der Kopf hat mir immer wieder die alten
Gedanken vorgespielt
»Basel SBB« las ich auf einer Zuganzeigetafel
    im Hauptbahnhof
»Scheiss-Basel« habe ich sofort gedacht und bin
mit der Rolltreppe zur Post hinauf gefahren
ohne auch nur einen einzigen eigenen Schritt zu
tun

Ein warmer Tag
Eine kalte kalte Nacht
»Jeden Tag kommen meine Kinder aus dem
Kindergarten mit einem neuen Lied nach Hause«
sagte ein Nachbar
»Ich habe heute noch ein grosses Programm«
sagte ein anderer Nachbar
»Je länger ich nachdenke desto sibirischer
wird der Wind der durch mein Gehirn bläst«
las ich bei James Hadley Chase

not from indifference
but because, in comparison, my inactivity
still made sense to me
In my dullness
I felt superior to the others
not that that helped
for although I considered my state a symptom
I was all that mattered,
that and not knowing what I wanted
and that I only felt miserable all day long—
Mostly I cast my eyes on the floor
My head kept playing the same old thoughts for me
"Basel SBB" I read on the board
at the central railroad station
"Shit Basel" I thought at once and
took the escalator up to the post office
without taking a single step

A warm day
A cold cold night
"Every day my children bring home a new song from kinder-
garten"
a neighbor said
"I still have a big program ahead of me today"
said another neighbor
"The longer I think the more Siberian the wind
that blows through my head"
I read in James Hadley Chase

In den Zeitungen stand alles schon schwarz auf weiss
und jede Erscheinung erschien von vornherein
als ein Begriff
Nur in den Feuilletons wurde noch aufgefordert
die Begriffe doch anzustrengen
aber die Begriffsanstrengungen der
Feuilletonisten
waren nur ein Schleiertanz vor anderen
tanzenden Schleiern
Die Romane sollten »gewaltätig« sein und die Gedichte
»Aktionen«
Söldner hatten sich in die Sprache verirrt und
hielten jedes Wort besetzt
erpressten sich untereinander
indem sie die Begriffe als Losungsworte
gebrauchten
und ich wurde immer sprachloser

Ich hatte das Bedürfnis jemanden zu lieben
aber wenn ich mir vorstellte wie das im
einzelnen wäre
wurde ich mutlos
Im »Mann ohne Eigenschaften« bin ich bis zu
dem Satz gekommen
»Ulrich sah s i c h den Menschen an«
(Auch »den Menschen« meinte Musil
verächtlich)
da habe ich vor Ekel nicht weiterlesen können
Das war vielleicht ein Zeichen dass es mir schon
besser ging

Manchmal ist mir mein Kind eingefallen
und ich bin zu ihm hingegangen
nur um ihm zu zeigen dass ich noch da war

In the newspapers everything stood black on white
and every phenomenon looked right from the start
like a concept
Only the cultural journals
still demanded conceptual exertion
but the culturalists' conceptual exertions
were merely the dance of veils
before other dancing veils
The novels ought to be "violent" and poems "actions"
Mercenaries had strayed
into the language and occupied
every word
blackmailed each other
by using
concepts as passwords
and I became more and more speechless

I had the need to love someone
but when I imagined it in detail
I became discouraged
In *The Man Without Qualities* I reached the sentence
"Ulrich examined the man"
("Man" too Musil meant
disparagingly)
when nausea stopped me from reading on
That perhaps was a sign that things
were looking up for me

Occasionally I thought of my child
and went to him
only to show him that I was still there

Vor lauter schlechtem Gewissen
habe ich besonders *deutlich* zu ihm gesprochen
Einmal habe ich es umarmt
als es in einem längeren Satz das Wort
»sondern« gebrauchte
dann wieder fuhr ich es an
weil es Schluckauf bekam

Damals im Sommer
als das Gras noch dicht und lang war
lag buntes Spielzeug drin verstreut
und jemand sagte
»Das liegt im Gras wie der Traum von einem Kind«
(Bevor ich das schrieb
habe ich ganz innerlich lachen müssen
Aber es entsprach den Tatsachen—ohne
Begriffsanstrengung)

»Ich bin oft glücklich gewesen«
sagte eine schöne ältere Frau
die gern auf dem Teppich sass
und sich mit der Hand unter der Bluse die
Schulter strich
WIE oft?

Meine Schwester kam aus Österreich
und fing sofort an
das Haus zu putzen und aufzuräumen
Unwillig bemerkte ich wie sie mir den Tee bis
zum Rand voll schenkte
Dann ist mir eingefallen dass das alle ärmeren
Leute mit ihren Gästen so machten
und vor Traurigkeit bin ich mir fremd geworden
(Gleich darauf erlebte ich wieder

Because I had such a bad conscience
I spoke very *distinctly* to him
Once I embraced him
when he used the word
"but" in a longer sentence
Then I upbraided him
because he got the hiccups

At that time in summer
when the grass was still dense and long
colorful toys lay strewn about in it
and someone said
"That lies there in the grass like a child's dream"
(Before I wrote that
I had to laugh very intimately
But it fit the facts—and without conceptual exertion)

"I was often happy"
said a beautiful older woman
who liked to sit on the rug
and to caress her shoulder under her blouse
HOW often?

My sister came from Austria
and at once began to clean
and to put the house in order
Grumpily I watched
how she filled my tea cup to the brim
Then I remembered that all poor people
do that with their guests
and felt so sad I became strange to myself
(right afterward I recalled

wie ich meine Mutter einmal böse angeschaut hatte
als sie zu einer Platte der Beatles ein bisschen
den Kopf wiegte)

Ich war nicht ganz untätig
gründete mit andern zusammen einen
Kindergarten
beantragte eine Eintragung in das
Vereinsregister
aber das sind nur Ornamente meines Dösens gewesen
wie wenn ein Kind seinen Kot auf dem Boden
verschmiert

Ich unterhielt mich auch mit einigen Leuten
wir wiederholten immer wieder was wir gleich
anfangs einander gegagt hatten
einer frischte die Erinnerungen des andern auf
ich sprach als ob ich einem Lauscher immerzu
meine Harmlosigkeit beweisen wollte
Der Hals ist mir steif geworden
und wenn mir alles über war
wendete ich mich nicht weg
sondern schaute bloss ein kleines bisschen zur Seite
»Nun hör dir das an« sagte der Ben aus
»Schau heimwärts, Engel«
in den leeren Raum hinein
Genau so war es
und vor lauter kopflosem Reden
war ich so zerstreut dass ich nachher kein Buch
lesen konnte

In dieser eintönig strahlenden Herbstwelt
ist mir auch das Schreiben unsinnig
vorgekommen

how I once glared at my mother
when she moved her head slightly in time
to a Beatles record)

I wasn't totally inactive
started a kindergarten with others
applied for membership
in a club
but those were merely ornaments of my dozing
like a child smearing his shit over the floor

I also talked to a few people
we kept repeating what we had said
to each other at the beginning
refreshing each other's recollection.
I talked as if I constantly wanted to prove that I was harmless
to a listener
My neck became stiff
and when I had had enough
I did not turn away
but merely looked aside a little
"Now listen to that" Ben from
Look Homeward, Angel said
to the empty room
It was exactly like that
and all the mindless gibberish
so distracted me
I couldn't read a book afterwards

In this monotonously glowing autumn world
writing too seemed nonsensical to me
Everything pressed itself so much upon me

Alles drängte sich so auf dass ich phantasielos
wurde
Vor der äusseren Pracht der Natur gab es keine
Vorstellung von etwas anderem mehr
und in den täglich gleichen Gesamteindrücken
rührte mich keine Einzelheit

»Nein ich habe keinen Wunsch« sagte ich
und so verstand ich auch nicht die Wünsche des Kindes
Blind habe ich an den Nachmittagen immer
wieder nach dem Weinglas gegriffen
Ich durfte nicht voraus denken
Die Gedanken verkümmerten sofort
weil ich kein Gefühl dabei hatte
und fast keine Stunde verging ungezählt
»Immer noch besser als gerade verdursten«
habe ich einmal gedacht

Das Einschalten des Fernsehers am Abend habe
ich jeweils hinausgezögert
Der Vollblutpolitiker hatte seinen Blutdurst für
den Wahlkampf in ein immerwährendes
grausiges Lächeln versteckt
das für die Gläubigen franziskanisch aussehen sollte
(Er redete auch wirklich zu ihnen wie zu Spatzen
in seinem Handteller)
und dann spielten
Schauspieler
Sänger und
Kamerabilder
dem Publikum das Paradies der Gefühle vor
in dem die Bilder der Menschlichkeit so käuflich waren
die Herztöne so verfügbar

that I lost my gift for fantasy
Before the external magnificence of nature
there was no imagining anything anymore
and within the monotony of the sum total of daily impressions
nothing particular moved me

“No, I have no wish,” I said
and so didn’t understand the child’s wishes either
Blindly I kept reaching for the wine glass in the afternoons.
I was not allowed to think ahead
The thoughts shriveled at once
they were so without feeling
and almost no hour passed uncounted
“still better than dying of thirst”
I thought at one point

Each night I postponed turning on the TV
The fullblood politician concealed his bloodthirstiness
for the election campaign in an unceasing gruesome smile
meant to look Franciscan to the unbelievers
(He really did talk to them as to the sparrows in his palm)
and the actors
and singers
and camera images played
for the audience
the paradise of feelings
where the images of humanity were so buyable
and heart throbs so disposable
and the expressions of sympathy were so dolled up
that I felt the urge to take a shit

und die Mienen der Zuneigung so verpuppt
dass ich Stuhldrang bekam

In der Zeitung las ich den Ausspruch der Gattin
eines reichen adeligen Bankiers
»Unter dieser Regierung sind die Reichen noch
reicher geworden
Sie werden es mir nicht glauben
MEIN MANN IST SEHR BÖSE DARÜBER«
Das hat mich sinnlos aufleben lassen

Einmal sass vor mir eine Frau
so schön
und ich dachte »Ich muss ihr ganz nahe kommen
damit sich ihre
Schönheit entfalten kann«
aber als ich ihr näher kam
schrumpelte sie zusammen

Wenn ich am hellichten Tag aus der Ebene nach
Norden auf die Stadt zufuhr
war der blaue Himmel über dem Mittelgebirge
so dunkel
als ob dahinter die Nachtgrenze sei
es war eine Gewitterstimmung ohne
Gewitterwolken
bewölkte Augen bei strahlendem Sonnenschein
und die Sägen haben gekreischt dass ich dabei an
ein Unglück denken musste
Die Kinder der Siedlung sind mit Rollschuhen
auf der Strasse gefahren
»Wo ist deine Mutter?« habe ich eins im
Vorbeifahren fragen hören
»Die ist zum Grossmarkt einkaufen«

In the papers I read that a wealthy
aristocratic banker's wife had said
"The rich became even richer under this government
You won't believe me
BUT MY HUSBAND WAS FURIOUS ABOUT THIS."
That perked me up absurdly

Once a woman sat before me
so beautifully
and I thought
"I have to get very close to her
so that her beauty can unfold itself"
but she shriveled
when I approached her

When I drove in bright daylight from the plains north toward
the city
the blue sky above the Mittelgebirge was so dark
as if the frontier of night lay behind it
there was a thunderstorm mood without thunderclouds
clouded eyes in bright sunshine
and the chain saw screech made me think of an accident
The children from the settlement rollerskated on the street
"Where is your mother?" I heard one of them call out rolling
past
"She went to the supermarket"
That became like the motto for my life here
and I became momentarily cheerful.
I went to the telephone and called old acquaintances
The girlfriends I asked about hadn't been around for a long
time

Das ist mir wie ein Motto zu dem Leben hier erschienen
und ich bin momentan ganz fröhlich geworden
Ich ging zum Telephon und rief alte Bekannte an
Die Freundinnen nach denen ich mich erkundigte
gab es schon lange nicht mehr
immer mehr lebten gerade allein
Ich hob ein paar Brösel vom Teppich auf
Draussen auf der Terrasse lag noch vom Sommer
her der Gartenschlauch im Gras
Ich stiess ein Glas Aquavit um
der kalte Aquavit rann ganz langsam
auseinander
wölbte sich an der Tischkante
ohne herunterzutropfen
aufdringlich sind überall die Fliegen gestorben
ich konnte sie sammeln und in den Papierkorb werfen
Wenn ich den Wasserhahn aufdrehte
erwischte ich immer gerade die Chlorbeigabe
die im Zehnminutenabstand erfolgen sollte
und gegen Sonnenuntergang
als ich zum Briefkasten ging
war ich vom Asphalt so geblendet dass ich die
Hand über die Augen legen musste
um die dunklen Entgegenkommeden grüssen zu können
Endlich dann in der Abenddämmerung
hat an dem Giebelhaus schräg gegenüber
tröstlich gelb das EDEKA-Schild geleuchtet
und ich bin einkaufen gegangen
Der Laden war hell und still
der Kaufmann war schon am Abrechnen
die Kühltruhen brummten freundlich
und dass der Schnittlauch den ich kaufte
mit einem Gummiband zusammengehalten wurde
hat mich fast zu Tränen gerührt

more and more happened to be living alone just then.
I picked a few crumbs off the carpet
Outside on the terrace the summer garden hose still lay in the
grass.
I knocked over a glass of aquavit
the cold aquavit oozed
swelled at the table edge
without dripping down
flies died everywhere obtrusively
I picked them up and threw them in the wastebasket
When I turned on the faucet
I always caught the chlorine donation
that was supposedly added every ten minutes
and toward sundown
when I went to the mailbox
I was so blinded by the asphalt
I had to put my hand over my eyes
so as to be able to greet the dark figures approaching me
Finally, then, at dusk
at the gabled house diagonally opposite
the EDEKA sign glowed
consolingly yellow
and I went shopping
The shop was so bright and quiet
the manager was counting the receipts
the freezers hummed endearingly
and the fact that the chives I bought
were held together by a rubber band
practically moved me to tears
Late at night
when I sat lost in myself in my noiseless room
the guitar on the floor suddenly resounded
a fly
had crawled over it

Am späten Abend
als ich in mich versunken im geräuschlosen
Zimmer sass
ertönte plötzlich die Gitarre am Boden
eine Fliege
war darübergekrochen
In der Nacht dann
schlief ich mit einer Gartenschere neben mir
Es war Vollmond
und das Kind zappelte mit zitternden Händen
schreiend in seinem Bett
Wenn ich die Augen schloss brachte ich sie nur
eines nach dem andern wieder auf
Ich hatte schon gewusst wie ich leben sollte
Aber jetzt war das alles vergessen
nicht einmal einen Furz würde ich als etwas
Leibhaftiges empfinden

»Es steht schlimm mit mir
Ich weiss so sollte man nicht aufhören
aber es geht nicht anders«
mit genau diesen Worten
—Speedy Gonzales der Begriffe—
wollte ich aufhören
schon bevor ich zu schreiben anfing
Dann mit der Schamlosigkeit
des Sich-Ausdrückens
ist das Vorausgedachte von Wort zu Wort
gegenstandsloser geworden
und wirklich mit einem Schlag
wusste ich wieder was ich wollte
und bekam eine Lust auf die Welt
(Als Heranwachsender
wenn sich ein Weltgefühl einstellte

Then at night
I slept with a garden shears beside me
There was a full moon
and the child fidgeted with trembling hands
screaming in his bed
When I closed my eyes I could open them only one by one
Yes, I had once known how I ought to live
But now everything was forgotten.
I would not even perceive a fart
as something physical

"I'm really in a bad way
I know one shouldn't stop like that
but there's no alternative"
with precisely those words
—Speedy Gonzales of concepts—
I wanted to stop
even before I started to write
Then with the insolence
of self-expression
what was thought-out beforehand became ghostlier
word by word
and really with one jolt
I again knew what I wanted
and I felt eager for the world
(As a boy when a feeling for the world overcame me
I only felt the desire to WRITE something

bekam ich nur Lust etwas ZU SCHREIBEN
jetzt stellt sich meist erst mit dem Schreiben
eine poetische Lust auf die Welt ein)
»Ich habe wieder ein Selbstgefühl« dachte ich
Dabei versprach ich mich in Gedanken und
dachte »Selbstgewühl«

In den letzten Tagen
ist die Natur musikalisch geworden
Ihre Schönheit wurde menschlich
und ihre Herrlichkeit auch innerlich
mit Vergnügen bin ich im Laub geschlurft
und hinter einem parfümierten Pudel hergegangen
Die Büsche haben sich bewegt
wie wenn Manöversoldaten darunter getarnt wären
tierisch leibhaftig standen die tiefbraunen
Fichten vor dem Fenster
und an einer Stelle inmitten der düsteren
Landschaft
flimmerten die Birkenblätter so hell wie ein
Schmerzenslaut
»Ach!« habe ich gedacht
Weiter weg zog hinter den Häusern Rauch vorbei
und die Fernsehantennen sind davor Monumente geworden
Mit jedem Tag sah man in den Laubbäumen
mehr von dem Astwerk
die wenigen Grashalme die nach dem letzten
Mähen noch nachgewachsen waren
glänzten so innig
dass ich Angst vor dem Weltuntergang kriegte
in meinem menschlichen Widerschein lächelte
sogar der Verputz an den Häusern
»Mir tut das so weh!« hörte ich eine Frau von
den Kondensstreifen der Düsenflugzeuge am

now a poetic desire for the world usually
only occurs when I write something)
"I am feeling again" I thought
But I made a slip of mind
and thought "I am reeling again."

In the last few days
nature became musical
Its beauty became human
and its magnificence so intimate
I sloshed with pleasure through the dead leaves
walked behind a perfumed poodle
The bushes moved
as when soldiers on maneuvers
are camouflaged behind them
The deep brown fir trees stood animally physical
before the window
and at one place in the ominous landscape
the birch tree leaves glinted as bright
as a cry of pain
"Oh!" I thought
Farther away smoke drifted past behind the houses
and the TV antennas in front became monuments
With every day you saw more branches among the foliage
the few leaves of grass grown back since the last mowing
glowed so intimately
that I became afraid of the end of the world
even the facade of the houses
smiled in my human reflection
"It hurts so much!" I heard a woman say of the jet trails in
the sky
Toward evening the smells of food came from the kitchens of
the other houses

Himmel sagen
Gegen Abend kamen die Essensgerüche aus den Bungalowküchen
und das Kind ist jeweils sekundenlang hungrig geworden
»In den Schatten dort muss es schon kalt sein«
Ich schrieb richtig mit
sagte lang Verschwiegenes
und dachte dann wörtlich
»So jetzt kann das Leben wieder weitergehen«
Vom Umschalten der Ampel verschreckt
fingen die Gastarbeiterinnen
auf dem Zebrastreifen
mit herausgestrecktem Hinterteil zu rennen an
Die Ladenmädchen
in dünnen Westen
liefen mit verschränkten Armen schnell über die Strasse
Hinter dem Milchglas einer Telephonzelle
ohrfeigte eine Mutter ihr Kind
Wie stolz bin ich auf das Schreiben gewesen!

and the child always became hungry for seconds at a time
"It must already be cold there in the shadows"
I really wrote ALONG
said long-suppressed things
and then thought literally
"So, now life can go on"
Frightened by the change of traffic lights
the "guest" worker women
started to scoot across the zebra stripes
The shop girls their behinds stuck out
in thin blouses
ran arms clasped across the street
Behind the frosted glass of a telephone booth
a mother slapped her child's face
How proud I was of writing!

Blaues Gedicht

*f*ür B.

Tief in der Nacht
wurde es schon wieder hell
Von aussen her eingedrückt
fing ich bei Bewusstsein
zu klumpen an
Gefühllos zuckte das Glied
sich von Atem zu Atem
grösser
»Nur jetzt nicht aufwachen!« dachte ich
und hielt den Atem an
Aber es war zu spät
Die Unsinnigkeit war wieder angebrochen

Noch nie fühlte ich mich so
in der Minderheit
Draussen vor dem Fenster
war nichts als die Übermacht
Zuerst sangen ein paar Vögel
dann so viele
dass aus dem Singen
Lärm wurde
die Luft ein Schallraum
ohne Pausen und Ende
Vor Bedrückung

Blue Poem

for B.

Deep at night
it became bright again
Crushed from the outside
I began to curdle
in full consciousness
Unfeeling my cock twitched
larger
from breath to breath
"Don't wake up now!" I thought
and held my breath
But it was too late
Nonsense had struck again

Never before had I felt so
in the minority
Outside the window
nothing but omnipotence
At first a few birds sang
then so many
the singing
became a racket
the air an echo chamber
without pause or end
Such a down

gab es plötzlich keine Erinnerung mehr
keinen Zukunftsgedanken
Ich lag langausgestreckt in meiner Angst
getraute mich nicht
die Augen zu öffnen
erlebte wieder die Winternacht
als ich mich kein einziges Mal
von der einen Seite
auf die andere drehte
gekrümmt damals in der Kälte
jetzt ausgestreckt
analphabetisch von der Entsetzlichkeit ausser mir—
Die Luft
wie hoch sie schrillte!
Und dann
auf einmal
vor dem Fenster ganz nah
ein tieferes Pfeifen im Vogellärm
eine Musicboxmelodie—
»Ein Mensch!« dachte ich
buchstabierend vor Todesangst
und schmorte zusammen
ohne mich zu bewegen
»Der von dem wesenlosen Monstrum zu Ermordende
im menschenleeren Vormorgenlicht. . .«
Angschwaden stiegen auf von der Kellertreppe
und die VERNUNFTSPERSON in mir
horchte:
die Melodie wiederholte sich
wiederholte sich—
»So eintönig pfeift kein Vogel
das Unwesen will mich verhöhnen
es grinst

suddenly no memory
no thought of the future.
I lay stretched out long in my fear
did not dare
open my eyes
relived the winter night
when I did not turn once
from one side
to the other
gnarled by the cold then
now stretched out
illiterate from the horror outside me—
The air
how high it shrilled!
And then
all at once
quite near the window
a low whistling in the bird racket
a juke box tune
"A human being!" I thought
spelling out each letter from deathly fear
and withered
without moving
"The one who has been murdered
        by the disembodied monster
in the unpeopled predawn light . . ."
Fear billowed up from the cellar stairs
and the COMMON-SENSE-PERSON inside me
listened:
the tune was repeated
was repeated—
"No bird whistles that monotonously
the phantom wants to ridicule me
it's grinning

mit stockschwarzen Lippen«
dachte ICH
Das Licht
wenn ich blinzelte
hatte eine Farbe aus der Zeit
als ich noch an die Hölle glaubte
und das pfeifende Monster vor dem Fenster
schüttelte lautlos die Handgelenke
als ob es nun Ernst machen wollte
»Sang das damals nicht Freddy Quinn?«
dachte ich
»Welcher Vogel nur?« die Vernunftsperson
Dann erwachte das Kind nebenan
und rief
dass es nicht schlafen könne
»Endlich!« sagte ich
ging zu ihm
und beruhigte es
voll Egoismus
Eine Garagentür schlug
der erste Frühaufsteher musste zur Arbeit
Am Abend des folgenden Tages fuhr ich weg

Die ungeebneten langhügligen Plätze
in der grossen zierlichen Stadt
diese Wiederholung des freien Landes
mit seinen Hügelhorizonten
inmitten der Häuser
das in die Stadt hinein
auf diese Plätze
fortgesetzte Land
in dem man wie sonst nirgends
die Horizontsehnsucht kriegte. . .
Wenn ich aus den Untergrundschächten stieg

with pitchblack lips"
"I" thought
The light
when I squinted
had the color from the time
when I still believed in hell
and the whistling monster by the window
soundlessly rattled its wrists
as if it now meant business
"Didn't Freddy Quinn sing that back then?"
I thought
"But which bird?" the common-sense-person
Then the child woke up in the next room
and shouted
that she couldn't sleep
"Finally!" I said
went to him
and calmed him down
full of egotism
A garage door slammed
the first early riser had to go to work
The evening of the next day I left

The unleveled rolling plazas
in the large graceful city
this repetition of the open country
with its horizons of hills
amid the houses
the land
prolonged into the city
onto these plazas
where you were overwhelmed as nowhere else
by horizon-longing . . .
When I climbed out of the subway

war es in diesem Stadtteil
düster von Regenwolken
und im nächsten
waren schon die Laternen an
Aus dem Bauch herauf
strahlte ein Lebensgefühl
dass ich auflachte
Stunden vergingen in den Strassencafés
beim Biertrinken
Ich schaute
und erinnerte mich
erinnerte mich schauend
schaute
ohne mich zu sehnen
auch die Erinnerung
ohne Sehnsucht
Ich wollte nichts fixieren
ging in kein Kino
blieb auf der Strasse
blinzelte
sooft ich vor Schauen
begriffstutzig wurde
Aber ich konnte schauen und schauen
ohne sprachlos zu werden!
Jeden liess ich gelten
und verstand ihn—
da jeder mir fremd war
Ich hätte mich sogar
mit meinem Mörder verständigen können
Er war mein Ebenbild
Unaufhörlich erschienen weit weg
neue Autos
aus der Tiefe des buckligen Platzes
der Abendhimmel war so blau

this part of the city
was dark with rainclouds
and in the next
the street lamps were turned on
Up out of my stomach
burst a feeling for life
I laughed out loud
Hours passed in the cafes
drinking beer.
I looked
and I remembered
remembered while looking
looked
without longing
the remembrance too
without longing.
I did not want to stare at anything
went to see no films
stayed on the street
squinted
whenever I became dull
from looking
But I could look and look
without becoming speechless!
I let everyone count
and understood him—
since all were strange to me.
I could even have hit it off
with a murderer
He was my likeness
In the distance
new cars kept appearing
out of the depth of the humpbacked plaza
the evening sky was so blue

dass mir selbst der aufs Trottoir scheissende
Hund
verzaubert vorkam
Ich schüttelte ungläubig den Kopf
auf einmal war ich DAS OBJEKTIVE
LEBENDIGE
Seltsam vergessen lag das Glied
zwischen den Beinen
Aus der tiefsten Tiefe
stieg die Freude herauf
und ersetzte mich
»Ich bin glücksfähig!« dachte ich
»Beneidet mich doch!«

Tagelang war ich ausser mir
und doch so
wie ich sein wollte
Ich ass wenig
trank wenig
sprach nur mit mir—
bedürfnislos vor Glück
vor Neugier nicht ansprechbar
selbstlos
und selbstbewusst
in einem
das Selbstbewusstsein
als das INNIGE
an der Selbstlosigkeit
ich
als beseelte Maschine
Alles geschah zufällig:
dass ein Bus hielt
und dass ich einstieg
dass ich bis zur Gültigkeitsgrenze der Fahrkarte fuhr

even the dog shitting on the sidewalk
struck me as magicked
I shuddered with disbelief
suddenly I was THE OBJECTIVELY LIVING THING
My cock lay strangely forgotten
between my legs
Joy rose
from the deepest depth
and replaced me
"I can be happy!" I thought
"Why don't you envy me!"

For days I was beside myself
and yet as
I wanted to be.
I ate little
talked just to myself—
needless so happy
unapproachable so full of curiosity
selfless
and self-confident
in one
the self-confidence
as the INMOST
of the self-lessness
I
as inspired machine
Everything happened by chance:
that a bus stopped
and that I got on
that I rode my ticket's worth
that I walked through streets

dass ich durch die Strassen ging
bis die Gegend anders wurde
dass ich in der anderen Gegend weiterging
Ich lebte
wie es kam
ZÖGERTE nicht mehr
reagierte UNVERMITTELT
erlebte nichts BESONDERES
—kein »Einmal sah ich«—
erlebte nur
Die Katzen schnüffelten in den Mausoleen
der grossen Friedhöfe
Sehr kleine Paare sassen in den Cafés
und assen gemeinsam Salade Niçoise. . .
Ich war in meinem Element
glucksend

Aber in den Träumen
war ich noch nicht interesselos
Nachzüglerische Schleimspur
des Schneckenmenschen
Ich schämte mich nicht
ärgerte mich nur
Ich versetzte mich in Wunschlosigkeit
indem ich viel trank
Die zuckenden Wimpern wurden lästig
Die Vorbeigehenden waren Statisten
die sich wie Hauptdarsteller verhielten
»Levi's-Jeans-Menschen!« dachte ich
»Werbeflächenkörper!«
—»Womit schon alles über euch gesagt ist«
dachte ich
ohne die frühere Sympathie
Aus Missmut wurde ich äusserlich

until the neighborhood changed
that I walked on in the new neighborhood.
I lived
as it came
no longer HESITATED
reacted IMMEDIATELY
experienced nothing SPECIAL
—no "Once I saw"—
merely experienced
The cats sniffed around in the mausoleums
of the large cemeteries
Very small couples sat in the cafes
and ate Salade Niçoise together . . .
I was in my element
clucking

But in my dreams
I hadn't yet lost all interest
Straggling slime track
of the snail person.
I was not ashamed
was only angry.
I made myself wishless
by drinking too much
The twitching eyelids became irksome
The passersby were walk-ons
who behaved like stars
"Levi's-Jeans-people!" I thought
"Ad-space bodies!"
—"Which says everything about you"
I thought
without the earlier sympathy.
I became superficial with crossness

Was ich nur sah
glaubte ich auch zu betasten
so haarig
und widerborstig
kam es mir vor
Als ich einmal bezahlte
kräuselte sich der Geldschein
im Atem des Verkäufers
wie die Raupe
auf einer Herdplatte
Ich fühlte mich in meiner Haut
nicht wohl
es juckte überall
Ich schwitzte nicht mehr so unbekümmert
Die Gesichtszüge
an den falschen Stellen. . .
Und die vom Hundedreck
verschnörkelten Boulevards. . .
»Welche Zumutung
von euch aus Afrika importierten Burschen
mit solch animalisch abwesenden Augen
vor mir den Rinnstein zu kehren!«
Ich gab auf
und fuhr weg in eine andere Stadt
wo ich Freunde hatte

Empfindungsloser Transportgegenstand
in Transportmitteln
Selbstvergessen
bis auf die Geruchsanfälligkeit der Hand
für die Butter
und den wie schon seit jeher so liegenden
Aufschnitt
unter dem Plastikdeckel

Whatever I saw
I also felt I touched
it seemed
so bristly
and perverse
Once when I was paying
the bill crinkled
at the salesman's breath
like a caterpillar
on a hotplate.
I did not feel well
in my skin
everything itched.
I no longer sweated as nonchalantly
The features
in the wrong places . . .
And the boulevards
doodled with dogshit . . .
"What impudence
of you fellows imported from Africa
to sweep the gutter before me
with such animally absent eyes!"
I gave up
and left for another city
where I had friends

Unfeeling transport object
within means of transportation
Self-forgotten
but for my hand's susceptibility to smell
of the butter
and of the coldcuts
lying there like that forever
under the plastic cover

und für das Erfrischungtuch!
Umsorgt
ja
als jemand Zahlender
Behaustheit
ja
eines Teils einer Einheit
Immerhin:
eine ANDERE Unsinnigkeit
ohne Todesangst
Mein Herz schlug niemandem entgegen
und die Stadt war mir wieder fremd
vor lauter vertrauten Wahrzeichen
Ab acht Uhr abends
waren schon die Haustore zu
und ich telefonierte
um hineinzukommen
In der dunklen Wohnung des Freundes
sass ich geistesabwesend
mit summenden Ohren
und hörte die seelenlose eigene Stimme
Im Glück konnte ich mich nur ans Glück erinnern
im Unglück nur ans Unglück
Apathisch erzählte ich
wie gut es mir gegangen war

Dann
redeten wir über das Vögeln
Aus den sexuellen Ausdrücken
gewannen wir die Ungezwungenheit
für alles weitere
Dazukommende begrüssten wir schon mit
Anzüglichkeiten
und sie verloren befreit

and of the towellettes!
Cared for
yes
as someone who pays
Lodged
yes
a part of a unit
In any case:
a DIFFERENT nonsense
without deathly fear
My heart throbbed for no one
and the city was foreign to me again
from all its familiar landmarks
The housedoors were locked
as of eight PM
and I telephoned
to get in
In a friend's dark apartment
I sat absentmindedly
my ears buzzing
and heard my soulless own voice
Being happy all I could remember
was happiness
being unhappy merely unhappiness
Indifferently I recounted
how okay everything had been with me

Then we talked about fucking
The sexual expressions
provided us with the unabashedness
for everything else
Anyone joining us we greeted
with obscenities
and let loose
they lost their strangeness

ihre Fremdheit
In den Vorstadtweinhäusern
noch während wir eintraten
setzten wir unsre Phantasien dort fort
wo wir sie beim Parkplatzsuchen
unterbrochen hatten
Alles ohne Geilheit
In den Oberdecks der Busse
schmunzelten die wildfremden Leute
wenn sie uns zuhörten
und fühlten sich heimisch bei uns
Welcher Exhibitionismus
sobald einer von uns
plötzlich von etwas anderem sprach!
Aber es gab immer jemand
der im vermeintlich anderen
die Anspielung auf das Geschlechtliche fand. . .
Dabei sprach niemand von sich
wir phantasierten nur
nie die Peinlichkeit wahrer Geschichten
Wie da die Umwelt aufblühte
und die Lust an nichts als der Gegenwart:
die Herzlichkeit des sauren Weins in den
zylindrischen Gläsern
Nur nicht aufhören
bitte nicht aufhören!
In den Zoten
ordneten sich die unbeschreiblichen Einzelheiten
der finsteren Neuzeit
zu ihrem verlorenen Zusammenhang
Hallo
der Sinn ist wieder da!
Endlich nicht mehr um Mitternacht
mein bekümmertes Gesicht sehen zu müssen

Even while entering
the suburban wine cellars
we prolonged our fantasies there
where we had dropped them
looking for a parking place
Everything without horniness
In the upper deck of the bus
the total strangers grinned
when they listened to us
and felt at home with us
What exhibitionism
as soon as one of us
suddenly mentioned something!
But there was always someone
who found the hint of sex
in the allegedly other . . .
Yet no one talked about himself
we only fantasized
never the embarrassment of true stories
How the surrounding flourished then
and the pleasure in nothing but the present:
the heartiness of the sour wine in the
cylindrical glasses
Don't stop
please don't stop!
The indescribable particulars
of the grim new age
found the order of their lost connection
in the dirty stories
Hello
meaning is back!
Not to have to see my worried face
at midnight any more
Even left alone

Auch alleingelassen
sass ich wohlbehütet
in meinen Nachgedanken
Ruhig betrachtete ich
die weggestreckte Ferse
die vom Herzschlag zuckte
Ich fühlte mich wohl
indem ich nichts von mir fühlte
»Mein Schwanz« sagte ich
unpersönlich

Dann wurde es ernst
und der Ernst kam so jäh
dass ich mich gar nicht
gemeint fühlen wollte
Dann wurde ich neugierig
dann rücksichtslos
Ich würde mit einer Frau auf die nächste Toilette gehen
Aus die Tändelei
keine Zoten mehr
keine Pointen
statt »vögeln« sagte ich jetzt
»mit dir schlafen«
—wenn ich überhaupt etwas sagte
Ich schnitt die Fingernägel rund
um dir nicht allzu weh zu tun
In der Geilheit
konnte ich plötzlich nichts mehr
beim Namen nennen
Davor hatte sich in dem Unverfänglichsten
eine Metapher für Sexuelles gefunden
jetzt
beim Erleben
erlebten wir die sexuellen Handlungen
als Metaphern für etwas anderes

I sat well guarded
in my afterthoughts
Calmly I watched
the outstretched heel
twitching from my heart beat.
I felt well
by feeling nothing of myself
"My prick" I said
impersonally

Then it got serious
and the seriousness hit so quickly
that it didn't want to be me
who was meant
Then I became curious
then ruthless
I would take a woman to the next best toilet
No more flirting
no more obscenities
no more touchés
instead of "fucking" I now said
"sleep with you"
—if I said anything at all.
I pared my fingernails
so as not to hurt you too much
In my horniness
I could suddenly call nothing
by its name
Before I had found a metaphor for sex
in the most unsuspecting things
now
during the experience
we experienced the sexual acts
as metaphors for something else

Die Bewegungen erinnerten mich
an was?
Die Geräusche waren wie Geräusche aus der Dingwelt
Es roch nach. . .
Ich brauchte gar nicht die Augen zu schliessen
um ganz andre Vorgänge zu erleben
als ich sie vor mir hatte
und die »wirklichen« Bilder dabei zu beschreiben
die »Tatsachen«
das wäre beliebig
denn tatsächlich
waren nur die »anderen« Bilder
in die mich die »wirklichen« mehr und mehr einwiegten
und die »anderen« Bilder
waren keine Allegorien
sondern durch das Wohlgefühl
befreite Augenblicke
aus der Vergangenheit
—wie ich mich jetzt gerade
an einen Igel im Gras erinnere
mit einem Apfel
der in den Stacheln steckte
Zeichen
mit dem Atem aus der Tiefe des Bewusstseins zu holen. .
So konnte ich zärtlich sein
ohne zu lieben
und die Haut an den Fersen
der blasse Nabel
und das selige Lächeln
waren kein Widerspruch
und jedes für sich Einzelne
verschränkte sich ineinander:
die Blätter vor dem Fenster
das sich wach singende Kind

The movements reminded me
of what?
The noises were the noises from the world of things
It smelled of . . .
I didn't even have to close my eyes
to experience completely different events
than those before me
and to describe the "real" pictures
the "facts"
was optional
for
only the "other" pictures
into which the "real" ones
rocked me more and more
were for real
and the "other" pictures
were not allegories
but moments
from the past
set free by the good feeling
—as I remember just now
a hedgehog in the grass
with an apple
impaled on its quills
Dragging signs
with your breath
out of the depth of your consciousness . . .
Thus I could be tender
without loving
and the skin at the heels
the pale navel
and the blissful smile
were no contradiction
and each thing by itself

ein Fachwerkhaus in der Dämmerung
das helle Blau an den Bildstöcken
aus der Zeit
als man noch an die Ewigkeit glaubte
»Ja, schluck das!«
»Schönheit ist eine Art der Information« dachte ich
warm von dir
und von der Errinerung
»Du zwingst mich
so zu sein
wie ich sein will« dachte ich
Zu existieren
fing an
mir etwas zu bedeuten—
Nicht aufhören!
Ich stockte soeben
als ich merkte
wie jäh das Gedicht zu Ende ging

intertwined with the other:
the leaves by the window
the child singing himself awake
a framework house at dawn
the light blue on the wayside shrine
from the time
when you still believed in eternity
"Yes, swallow that!"
"Beauty is a kind of information" I thought
warm from you
and from the recollection
"You force me
to be
as I want to be" I thought
To exist
began
to mean something to me—
Don't stop!
I faltered just now
when I noticed
how suddenly the poem ended

Die Sinnlosigkeit und das Glück

Für Jean-Marie Straub

An einem kalten, unbeschreiblichen Tag,
wenn es nicht hell und nicht dunkel werden will,
die Augen sich weder öffnen noch schliessen wollen
und die vertrauten Anblicke nicht an das alte
Weltvertrauen erinnern,
aber auch nicht als neue Anblicke ein Gefühl für
die Welt herbeizaubern,
—das zwei-einige poetische Weltgefühl—,
wenn es kein Wenn und Aber gibt,
kein Damals mehr und noch kein Dann,
verschwitzt die Morgendämmerung und der
Abend noch unvorstellbar,
und an den bewegungslosen Bäumen nur ganz
selten ein einzelner Zweig schnellt
—als sei er um etwas leichter geworden,
an einem solchen, unbeschreiblichen Tag
geht auf der Strasse,
zwischen zwei Schritten,
plötzlich der Sinn verloren:
dem Neger im Ledermantel, der einem
entgegenkommt,
möchte man in das Gesicht schlagen,
oder der Frau, die im Geschäft vor einem den
Zettel abliest,

Nonsense and Happiness

For Jean-Marie Straub

On a cold, indescribable day,
when it does not want to become dark and not bright,
the eyes neither want to open nor shut
and familiar sights don't remind you
of your old familiarity with the world,
nor as new sights magick a feeling for the world,
—the Two & One poetic world-feeling—,
when there exists no When and But,
no Earlier and still no Then,
dawn sweaty
and evening still unimaginable,
and on the motionless trees only quite rarely a single twig
snaps
—as if it had become slightly lighter,
on an indescribable day like that,
on the street,
between two steps,
the sense is suddenly lost:
the black man walking toward you
in his leather coat—
you want to slug his face,
or throttle the woman
reading off her list before you in the shop.
And more and more often

knacks von hinten den Hals zudrücken.
Und immer öfter erschrickt man bei dem
Gedanken,
wie nah man daran war, es wirklich zu tun,
—ein Ruck fehlte noch, der geheimmisvolle
RUCK,
mit dem früher einmal die Liebe einsetzte
oder der wilde Entschluss, ein Leben nach der
eigenen Vorstellung zu führen,
oder, ebenso zwischen zwei Schritten,
die Gewissheit einer formlosen Art von
Unsterblichkeit. . .
(Von einigen, denen es diesen Ruck gab, liest
man dann in der
Zeitung und wundert sich, dass es noch immer
so wenige sind.)
Wo man jetzt hinblickt—alles grünlich verfärbt
in solchen Momenten,
wie auf einer zu kurz entwickelten Fotografie,
die Gegenstände halbfertig,
und keine Hoffnung, sie fertigzustellen,
jeder Anblick ein verrottetes Fragment, ohne
Idee von dem Plan,
der verloren ging,
noch im Rohbau und schon Ruine,
vor der man ausweicht, in der Befürchtung,
selber miteinzustürzen
—das gilt auch für dich, und für dich dort:
eure abbruchreifen, von welchem Abonnement?
auf welches Sinn-Theater?
welcher Weltbild-Monopol-Truppe?
gestützten Gesichter
möchte man übers Knie brechen—
und es betrifft ebenso einen selbst,

the thought frightens you
how you nearly did it,
—a jolt was still lacking, the mysterious
JOLT
with which love set in at one time
or the wild resolve to lead life your way,
or again between two steps,
the certainty of a formless kind of
immortality. . .
(Then you read in the papers of some who were struck by this
jolt and
you wonder why they are still so few.)
Wherever you look now—everything greenish-discolored
at such moments
as on a too briefly developed photo,
the objects half complete,
and no hope of completing them,
every sight a rotted fragment
without the idea of the plan,
which became lost,
still raw-girdered and already a ruin,
which you avoid, fearing
you will collapse with it
—that also goes for you, and for you there;
your faces—
ready for the scrap heap,
propped up by what subscription? by what theatrical sense?
what
troupe with a *Weltanschauung* monopoly?—
faces one would like to break over one's knee—
and that goes as much for you yourself,
one depreciating object among others,
which, having seen all these sights,
only glances down along itself,

Abschreibungsobjekt unter andern,
das nach all diesen Anblicken zuletzt nur an sich
hinunterschaut,
und da den eigenen Nasenrücken sieht,
einmal links, einmal rechts,
von einem Auswuchs den Auswuchs:
—wenn sich die Augen doch schliessen wollten,
—man doch blinzeln könnte in solchen
Momenten,
das Ekelgefühl an den Augäpfeln lindern,
—und es nur MOMENTE wären, (nach denen
man aufatmen kann)—
aber nicht dieses ZEITLOSE,
LEERGERÄUMTE, SPRACHLOSE,
ZUKUNFTSVERDRÄNGENDE, NICHT
AUS DEM ZENIT ZU VERRUCKENDE,
DIE SEELE AUS DEM LEIB KRATZENDE,
UNBEATMETE, SINNLOSE UNDING.
—Auf offener Strasse ist jemand stehengeblieben
und kann nicht mehr weiter:
nicht nur er ist stehengeblieben,
sondern auch alles andere,
und so hat es den Anschein, dass er weitergeht,
und dass auch das andere weitergeht.
Aber er markiert nur das Gehen;
und auch der Blick, mit dem er den Horizont am
Ende einer Strasse betrachtet,
ist markiert;
und die Pommes frites, die er im markierten
Vorbeigehen irgendwo riecht
—es könnte auch ganz woanders sein—,
bemerkt er nur noch wie aus einer letzten
Gutmütigkeit gegen sich selber:
tatsächlich riecht er gar nichts mehr,

glimpses the back of its own nose there,
once left, once right,
excrescence of an excrescence:
—if only the eyes would close,
—if you could only squint at such moments,
soothe the nausea in the eyeballs,
—and it would just be MOMENTS (after which you could
sigh)—
but not this TIMELESS, EMPTIED-OUT, SPEECHLESS, FUTURE-
REPRESSING, INANIMATE, SENSELESS HUMBUG
IRREMOVABLE FROM THE ZENITH, SCRATCHING YOUR
SOUL FROM YOUR BODY.
—Someone has stopped on the street
and cannot go on:
not only he has stopped,
everything else has too,
and so it seems that he walks on,
and that the rest also walks on.
But he only pretends to walk;
and the way he regards the horizon at the end of the street
is also feigned;
and the French fries which he smells somewhere while he
pretends
to walk
—it might be altogether somewhere else—
he only notices
as a last kindness toward himself:
actually he doesn't smell anything anymore,
and the French fries are homeless remnants
from that already unimaginable time
when every object still hugged its meaning:
recollection of a picture in the church where the Just stand
beneath the
Blessed Virgin's coat.

und die Pommes frites sind herrenlose
Überbleibsel aus jener schon unvorstellbaren Zeit,
als jeder Gegenstand sich noch wohlig an seinen
Sinn schmiegte:
Erinnerung an ein Bild in der Kirche, wo die
Gerechten unter dem Mantel der Muttergottes stehen.
»When I was a boy, everything was right«:
welch falsche Sehnsucht,
denn nur selten war etwas richtig, als man ein Kind war,
meistens das Gefühl, mit brennenden Niednägeln überall im
Luftzug zu stehen—
und dieses Niednagelgefühl ist zurückgekehrt;
so dass es nicht heissen darf:
»Der Sinn ging verloren«, sondern:
«Die Sinnlosigkeit ist wiedergefunden.«
Es gab keinen Plan,
auch nicht die Idee eines Plans,
und an den zwischenzeitlichen Sinn, an die
Augenblicke von Liebe,
von Geilheit, von Raserei und »gerechtem« Zorn
erinnert man sich jetzt mit Brechreiz.
HILFE—Lass doch die schlechten Witze. . .
Wohin soll man noch schauen?
Wo überlebt noch der letzte Widerspruch?
Wo ist der Anblick, der einen wiederbelebt?
Doch alle Fragen sind rhetorisch geworden,
routinierte Erinnerungen an wirkliche Fragen,
und weil die Fragen nicht ernstgemeint sind,
bewegen sich die Lippen theatralisch mit ihnen mit
und zucken zurück, wenn sie einander berühren:
so sehr sind sogar schon die eigenen
Körperteile
zu einer unsympathischen Aussenwelt
ausgestülpt,

"When I was a boy, everything was right";
what false longing,
for only rarely was it right
when you were a child,
mostly the feeling of forever standing in a draft with
burning hangnails—
and this hangnail feeling has returned;
so that you shouldn't say:
"The sense was lost," but
"Nonsense is rediscovered."
There was no plan,
nor the notion of a plan,
and the inbetween sense,
the moments of love,
of horniness, of frenzy,
and of "righteous" anger
you now recall with
nausea,
HELP—No more bad jokes . . .
Where can you still look?
Where does the last contradiction survive?
Where is the sight to revive you?
But all questions have become rhetorical,
routine memories of real questions,
and because the questions
aren't meant seriously
the lips move theatrically along with them
and flinch when they touch:
that is how far
the parts of your own body
have been turned inside out
into a revolting outer world
where everything separates into things
that repel each other.

wo sich alles in Dinge aufteilt,
die einander abstossen.
Ja, alles ist penetrante Aussenwelt geworden in
diesem Zustand,
und in dem offenen Schädel bläht sich im Luftzug
ein unappetitliches Etwas,
das sich Gehirn nannte.
Statt Bewusstsein nesselhaft Vegetatives,
Hautempfindung und Allergie:
eine unabsehbare Zeit des Ausschlags, der
Gänsehaut, der Ekzeme, des Wundseins.
Als die Lippen einander zufällig berührten,
juckte es unangenehm
—man ist kitzlig an sich selber geworden
Auf einem Gerüst hoch über der Strasse stehen
Bauarbeiter
mit bunten Helmen auf dem Kopf und winken
die Last eines Krans heran:
kommt doch herunter, auf gleiche Höhne,
und nehmt eure euch adelnden Helme ab,
ihr Erpresser,
dann werden wir sehen, wer ratloser ist!
Der Himmel über dem Kran könnte ein Bild sein,
das die lebensnotwendige Geduld zurückbringt,
aber auch der bewährte Abendhimmel heilt
nichts,
auch nicht das doch so oft beruhigende Wort,
das man sich vorspricht:
die Wolken glänzen abstossend,
liegen in heilloser Unordnung,
wie in einem Windbruch,
und auch auf der Erde bis zum Horizont ein
einziger Windbruch.
Alles ein einziger Windbruch.

Yes, everything has turned into abrasive outer world in this
state
and in the open-skull an unappetizing something, once called
brain,
puffs itself up in the draft.
Instead of consciousness
nettle-like vegetation,
skin sensation and allergy:
an incalculable time of rashes,
of goose bumps,
of eczemas,
of soreness.
An unpleasant itch
when the lips accidentally touched each other
—you have become ticklish to yourself.
On a scaffold high above the street construction workers
with colored hard hats on their heads wave for a crane-load:
come on down, to the same level,
and take off your ennobling hats,
you extortionists,
then we'll see who's at more of a loss!
The sky above the crane could be a picture,
which rekindles the necessary patience,
but the well-worn sky heals nothing either,
nor the word that yet soothes so often,
which you say to yourself:
the clouds glow repulsively,
lie in unholy havoc,
wind-wrecked,
and the earth too, leveled to the horizon.
Everything wind-wrecked.
Everything mixed up.
And everything expressionless.
AND EVERYTHING COMPLETELY EXPRESSIONLESS.

Alles ein Durcheinander.
Und alles ausdruckslos.
UND ALLES VÖLLIG AUSDRUCKSLOS.
Trotzdem ein Missmut
dass die vielen, die unterwegs sind,
sich nicht einfach auf die Strasse hinlegen und vergehen,
so wie man selber vergehen möchte,
vielleicht nicht für immer,
doch jedenfalls auf der Stelle. . .
In alten Geschichten wollen Scheintote sich
verzweifelt bemerkbar machen,
indem sie den kleinen Finger zu krümmen
versuchen—
wie aber sich umgekehrt bemerkbar machen,
wenn einem alles sich selbsttätig krümmt
im Schein einer ausdruckslosen Lebendigkeit?
wenn das Weitergehen,
aber auch das Wegblicken,
das Aufblicken,
aber auch das Weglicken,
das Reden,
aber auch das Nicht-mehr-Weiterreden
ohne eigenes Zutun Leben vortäuschen?
Wie gesagt, rhetorische Fragen.
»Gleich würde der Sargdeckel für immer und
ewig über ihm geschlossen werden«, heisst es in
den Scheintoten-Geschichten:
und nur in einer Ich-Geschichte gäbe es dann
noch ein Aufwachen.
»Gleich würde man wieder um eine Pfütze
herumgehen; gleich würde man wieder an einer
Ampel stehenbleiben.«
Es ist keine Ich-Geschichte:
also geht man für alle Zeit um die Pfützen

Still you feel cross
that the many who are underway
don't simply lie down on the street and fade out,
as you yourself would like to fade out,
perhaps not forever,
nonetheless, on the spot . . .
In the old stories the taken-for-dead strain to be noticed
trying to crook their little finger—
but how to make yourself noticed the other way,
if everything crooks of itself for you
in the illusion of an expressionless liveliness?
How to express expressionlessness
when the going on,
but also the stopping,
the looking up,
but also the looking away,
the talking,
but also the not-talking-anymore
feign life with none of your doing?
As I said, rhetorical questions.
"At any moment the coffin lid would close above him for all
eternity,"
it says in the stories about the taken-for-dead:
and only a first-person-story would still have an awakening.
"At any moment you would again skirt a puddle; at any
moment you
would again stop at a traffic light."
It is not a first-person-story:
so you skirt puddles forever
and stop at all traffic lights.
What an effort the indifferent sleepers still make
in the subways,
lying on papers,
covering themselves with rags!

herum und bleibt ewig an allen Ampeln stehen.
Was für einen Aufwand betreiben noch die
apathischen Schläfer
in den Schächten der Untergrundbahn,
indem sie auf Zeitungen liegen
und sich mit Lumpen zudecken!
Welch eine Anstrengung, sich auch nur
vorzustellen,
dass sie nach so vielen Jahren immerhin noch die
Kraft haben,
nach halbleeren Weinflaschen zu greifen!
Vielleicht trifft man jetzt jemanden, den man kennt,
»von früher«, denkt man,
auch wenn man ihn erst gestern kennengelernt hat,
so sehr hat mit dem Unsinn eine eigene Zeit angefangen.
Gleich wird man das Handgeben markieren. . .
Und mit dem Austausch von Bemerkungen, der
nun einsetzt,
ergibt sich sofort eine Harmlosigkeit,
in der der Unsinn endlich unerträglich wird
—weil man auf einmal zu übertreiben glaubt
und sich gegenüber den andern im Unrecht fühlt
und seinen Zustand für blosse Zustände hält:
als benähme man sich »wie ein Schulbub«,
nicht ernstzunehmen.
Man nimmt sich also nicht ernst in Gesellschaft,
aber der Unsinn ist zu wirklich,
und deswegen also jetzt unerträglich.
Das Gesicht wird hässlich vor Sinnlosigkeit.
So setzt man sich irgendwohin
und lässtes Nacht werden.
Ab und zu reisst man stumm den Rachen auf,
als hätte man Kiefersperre.
Eine Hauswand blättert ab.

What an effort just to imagine
that after all these years
they still have the strength
to reach for half-empty wine bottles!
Perhaps you will now meet someone
whom you know,
"from earlier on," you think
even if you first met him only yesterday—
that's how much nonsense already has its own time.
Any moment now
you will simulate shaking hands . . .
And the exchange of pleasantries,
which now ensues,
immediately results in a harmlessness
where the nonsense
finally becomes unendurable
—because suddenly you believe you are exaggerating,
and feel in the wrong toward others
and regard your state as just one of those states:
as if you behaved "like a schoolboy,"
not to be taken seriously.
So you don't take yourself seriously in company
but the nonsense is too real,
and therefore unbearable.
The face turns ugly with nonsense,
So you sit somewhere
and let it become night.
Now and then you mutely
tear your mouth open
as if you had lockjaw.
A housewall is peeling.
A children's carousel is turning under a railroad bridge.
"Actually" the housewall is beautiful
and "actually" the carousel is beautiful—

Ein Kinderkarussel dreht sich unter einer Bahnbrücke.
»Eigentlich« ist die Hauswand schön,
und »eigentlich« ist das Karussel schön—
aber auch der schönste Anblick nimmt nun vom Lebendigen.
Ein Bombenangriff der Sinnlosigkeit auf die
Welt:
gleich hinter der Hauswand bricht die Erde ab
in die Wirbel des Undefinierbaren
(die einen nenne es Tiefseegraben, die andern
den Weltraum, andre die Hölle)
und auf dem letzten Atoll dreht sich ein
Kinder-Karussell
glockenbimmelnd, mutterseelenallein.
Halt! Schau dieses Bild länger an:
senkten sich davor nicht die Lider über die Augen?
—Es ist kein Bild: und wenn, dann ist es vor
deiner Ungeduld
mit dem letzten Erdrest untergegangen.
Die Finsternis, wo die Welt war,
unterscheidet sich von der Finsternis des
Undefinierbaren ringsum
nur noch durch das frischere Schwarz,
und jetzt strömen auch schon die Wirbel
herein. . .
Jemand läss seinen Mund auseinanderklaffen
und schläft ein,
aber auch auf dieser Flucht wird er eingeholt:
es fehlt selbst die Zeit zum Träumen inzwischen:
nach ein paar Atemzügen wird er von der
Sinnlosigkeit wachgebeutelt,
immer wieder,
wie der Zeichentrickheld von dem tropfenden
Wasserhahn,
»die Zeit, als die Träume noch halfen« ist ein

but even the prettiest sight now diminishes life.
A bombing attack of nonsense on the world:
right behind the housewall the earth breaks off
    into whirlpools of
the undefinable
(some call it ocean trench, others space, others hell)
and on the last atoll a children's carousel turns
tinkling, godforlorn.
Stop! Gaze at this picture:
Did not the lids lower over the eyes at its sight?
—It is no picture: and if so, it went under from your
    impatience
with the last bit of earth.
The gloom where the earth was
distinguishes itself from the gloom
of the undefinable all around
only by its fresher black,
and now even the whirlpools are streaming in . . .
Someone's jaw slackens
and he falls asleep,
but this escape attempt fails too:
even dream time has been voided:
a few breaths and nonsense shakes him awake,
time and again,
like the cartoon hero by the dripping faucet,
"The time when dreams still helped" has become
    a sentence from
a fairy tale—
the next sequel of the adventure
again unfolds only in the cartoon pattern.
At the moment of waking
which immediately follows
the moment of falling asleep
—"dreams were in the offing"—

Satz aus dem Märchen geworden—
die nächste Fortsetzung des Abenteuers
läuft wieder nur nach dem Trickschema.
Im Moment des Erwachens,
der gleich auf den Moment des Einschlafens
folgt,
—»schon meldeten sich die Träume an«—
bricht unter der splitternden Umwelt,
die sich doch gerade besänftigen wollte,
wieder weltweit und hautnah
das krachlederne UNDING hervor.
Auch wenn man etwas fixiert—
man sieht jetzt alles entstellt, wie aus den
Augenwinkeln:
nach einem Hund, der weit weg vorbeirennt,
greift man in die Luft,
wie nach einer an der Wange vorbeisirrenden Mücke,
und die auf dem Mauersims laufende Katze sieht
man zum Greifen nahe als Tausendfüssler;
eingeengt von dem entlegensten Anblick!,
UND KEINE MÖGLICHKEIT MEHR,
STEHENDE LUFT
DIE MAN VERGEBENS EINATMEN WILL,
ALLES IST, WIE ES IST,
JEDES ZURÜCKGEZWÄNGTE IN SEINE
NISCHE.
(»Ich wartete auf der Chaiselongue darauf, ob
mir der Sinn des Lebens wieder aufginge«, stand
in einer alten Autobiographie.)
—Und wenn das so ist,
und als das so war,
alles beim alten,
und als die Beine das eingesargte Bewusstsein
immer noch dummtreu
von einem Ort zum andern schafften,

in the shattering environment,
which had been on the verge of soothing itself,
your dyed-in-the-wool HUMBUG breaks forth again,
worldwide and skintight.
And even if you stare at something—
you now see everything distorted, as out of the corner
of your eyes:
you grasp the air
after a dog running in the distance
as at a mosquito buzzing your cheek,
and the cat running along the wall
looks like a centipede within reach;
confined by the remotest sight!;
AND NO MORE OPPORTUNITY,
STALE AIR,
WHICH YOU VAINLY TRY TO BREATHE,
EVERYTHING AS IT IS,
EACH ONE FORCED BACK INTO HIS NICHE.
("I waited on the chaise longue for the meaning of life
to come back
to me," stood in an old autobiography.)
—And if it is like that,
and when it was like that,
all as in the old days,
and when the legs still trotted the buried consciousness
dumb-assedly from one place to the next,
—if only one knee had bent just once—
you looked,
because you had no choice,
had no CHOICE,
to the floor, looked to the floor,
and finally discovered
BECAUSE you had no choice
SOMETHING NEW;
One time perhaps a green

—wenn doch einmal ein Knie geknickt wäre—
schaute man, weil man keine Wahl hatte, keine
WAHL hatte,
zo Boden, schaute zu Boden,
und erblickte endlich,
WEIL man keine Wahl mehr hatte,
ETWAS NEUES.
Einmal ist es vielleicht der grüne
Auslegeteppich im Vorraum eines Kinos,
bei dessen Anblick man plötzlich aufschnauft
vor neuer Verbundenheit,
—ein herzhaft rührseliger Schnarchton—,
und vom Boden steigt dröhnend die Linderung auf,
und über die brennenden Augäpfel senken sich
die Lider langsamer
und streicheln mild die Geduld zurück—
nur jetzt nicht voreilig werden!:
oder ein anderes Mal ein
Schreibmaschinengeschäft,
wo man auf eine Maschine hinabstarrt,
in die zum Ausprobieren Papier eingespannt ist,
und da, unter vielen Leuten in dem Geschäft, liest:
»O désespoir! O vieillesse! O rage!. . .«
—Die Augen werden gross,
und was man auch anschaut,
LACHT—
so viel ist plötzlich, nach dem so langen Unsinn,
von dem Überfluss der Welt dagewesen.
Der Gegensatz zur Sinnlosigkeit ist nicht der Sinn—
man braucht nur keinen Sinn mehr,
sucht auch keinen philosophischen Sinn für den Unsinn:
ausgezählte Wörter; die verboten gehörten,
denkt man.
An einem Caféhaustisch sitzt eine Frau vor

unrolled carpet in the lobby of a movie house
at whose sight you suddenly groan
with new intimacy,
—a heartily sentimental snoring sound—,
and from the floor rises roaring relief,
and the lids lower more slowly over the burning eyeballs
and gently stroke patience back—
don't be impatient now!;
or another time a
typewriter shop,
you stare down at the machine
with paper to try it out,
and there,
among the people in the shop,
read:
"O désespoir! O vieillesse! O rage!..."
—Your eyes grow wide,
whatever you look at
LAUGHS—
after such long nonsense, suddenly there was so much
of the world's abundance.
The opposite of nonsense is not meaning—
you just don't need meaning any more,
don't even seek philosophical sense
for the nonsense:
counted-out words; which should be outlawed,
you think.
At a table in a café a woman sits before a glass of beer,
looks out the window
and smiles.
Of all those sitting there
she is the only one
with an expression:
And when you look at her

einem Glas Bier,
schaut zum Fenster hinaus
und lächelt.
Nur sie unter den vielen, die da sitzen,
hat einen Ausdruck:
Und als man sie ansieht,
kehrt auch in das eigene hässliche, taube Gesicht
ein Gefühl zurück,
der unbeschreibliche Tag wird beschreiblich,
er neigt sich,
und wenn man die Frau wieder ansieht,
bemerkt man, dass sie gar nicht lächelt,
sondern nur einen Ausdruck hat:
schon der Ausdruck in ihrem Gesicht ist einem
als Lächeln erschienen.
In der Zeitung das Foto des Polizisten,
der einen Knüppel hebt:
Kann der das ernst meinen? denkt man.
Weiss er, was er tut?
Wie kann man ihm begreiflich machen, dass er
von Sinnen ist?—,
und auf der Strasse steigen immer wieder Frauen
    in die Taxen,
alle mit der gleichen Bewegung,
mit der sie den Kopf einziehen und dann hinter
sich den Mantel festklemmen:
allmählich malt man sich diese verschiedenen Frauen
schon als etwas Mythisches aus
—altes Schluckauf seinstrunkener Poeten—:
als eine Frau mit Wasser in den Beinen einsteigt,
mühseliger als die andern,
und heilsam das leichtfertige BILD zerstört. . .
Und womit kehrst du am Abend nach Haus zurück?—
Mit solchen Anblicken zum Beispiel, antwortet

a feeling also returns to your own ugly, deaf face,
and the indescribable day
becomes describable,
it wanes,
and when you look at the woman again
you notice she isn't smiling at all,
but only has an expression:
even the expression on her face
seemed like a smile to you.
In the newspaper the photo of a policeman
raising a truncheon:
Is he being serious? you think.
Does he know what he's doing?
How can you make him understand that he's
  out of his mind?—,
and on the street
women continue to enter taxis,
all with the same movement
they duck and then clamp down their coats behind them:
gradually you begin to paint these different women
even as something mythical
—old hiccup of poets drunk on being—:
when a woman with water in her leg climbs in,
more awkwardly than the others,
and kindly destroys the facile PICTURE . . .
And what do you bring home in the evening?—
Such sights for example,
the sight collector answers proudly.
And how do you order them?—
Because my fear of the nonsense is over
they no longer need an order.
And your own impression?—
Because the nonsense is over the sight
has simultaneously become the impression.

der Anblicksammler stolz.
Und wie ordnest du sie?—
Weil die Angst vor dem Unsinn vorbei ist,
brauchen sie keine Ordnung mehr.
Und der eigene Eindruck?—
Weil der Unsinn vorbei ist, ist der Anblick
zugleich schon der Eindruck geworden.
Und die eigene Sprache?—
Wenn ich was sehe, sage ich nur noch: O Gott!
oder: Nein!
oder: Ach!
oder rufe einfach aus: Der Abendhimmel!
oder wimmere, leise. . .
Und doch—
Vorsicht vor der Musik der Welt!
Vorsicht vor dem Glücklichen Ende!
Denn auch als damals der unbeschreibliche
Tag kam,
war man gewarnt von den früheren unbeschreiblichen Tagen
wie im Märchen, bevor man sich auf den Weg
durch den Wald macht,
von der guten Fee oder dem sprechenden Tier,
—und muss dann doch, wie im Märchen,
die Warnung wieder vergessen haben.
Wenigstens, statt ans allzu anekdotische Glück,
hält man sich an den Moment,
als der Unsinn nachliess und die neue Vertraut-
heit als Schmerz gefühlt wurde.
Schon melden sich die Träume an.
Schon sind sie da:
Eine grosse rote Kirsche fällt langsam an einem
vorbei den Liftschacht hinunter.
Am Ende der langen Häuserreihe steht mitten
auf der Strasse ein Hirsch.

And the actual words?—
When I see something, I only say: O God!
or: No!
or: Ah!
or simply call out: The evening sky!
or whimper, softly . . .
And yet—
Beware of the music of the world!
Beware of the happy ending!
For even when the indescribable day came
you had been warned of previous indescribable days,
as in the fairy tale,
before you walked through the forest,
of the good fairy
or of the talking animal,
—and must,
as in the fairy tale,
have forgotten the warning after all.
At least,
instead of the all too anecdotal happiness,
you cling to the moment
when the nonsense let up and the new familiarity was felt as
pain.
The dreams are in the offing.
They are there:
A large red cherry falls slowly past you down the elevator
shaft.
At the end of the long row of houses, in the middle of the
street,
stands a stag.
—And at least,
as in the hit tune,
it is time to dream again.
—And at least,

—Und wenigstens ist, wie im Schlager, die Zeit
zum Träumen wiedergekommen.
—Und wenigstens die Zeit, in der man träumen
kann, ist eine vernünftige Zeit.
Schon nickt man auf der Strasse sich selber zu
und schüttelt den Kopf;
kaut, wie als Kind, vor dem Einschlafen einen
Apfel im Bett;
geht mitten durch eine Pfütze durch
und sagt für »Karussel« wieder »Ringelspiel« . .
An einem kalten, hellen Morgen,
noch beatmet von einem langen,
beseligenden Traum,
in dem man das war,
was man sein kann,
—der Traum was selber schon die Erfüllung—
kriegt man beim Anblick des weiten Himmels
hinter dem Stadtrand zum ersten Mal die Lust,
alt zu werden,
und vor einem Kind,
das einen anschaut,
nachdem es ein Glas umgeworfen hat,
denkt man,
wenn das Kind einen nicht mehr so anschauen müsste,
das könnte das Wahre sein.

the time when you can dream
is a sensible time.
Already you nod to yourself in the street and shake your head;
munch, like a child, an apple in bed before falling asleep;
walk straight through puddles
and again say "merry-go-round"
instead of "carousel". . .
On a cold, bright morning
still imbued by a long
bliss-kindling dream
where you were
what you can be
—the dream itself was the fulfillment—
and at the sight of the wide sky
behind the edge of the city
you look forward to growing old for the first time,
and in front of the child,
who looks at you
after he has knocked over the glass,
you think
if the child wouldn't have to look at you like that any more—
that might be the real way.

Das Ende des Flanierens

1

Dürftiges Alleinsein:
Kälte
Nacht
Belag auf den Lippen
Niedergeschlagene Augen

2

In der nieselnden Finsternis des Boulevards an dich denkend
spüre ich die Innenseiten meiner Hände heiss werden
im Bedürfnis dich zu umfassen
in Gedanken kratze ich dir die Kleider herunter
um dir näher zu sein

3

Wir tun als ob das Alleinsein ein Prolem sei
Vielleicht ist es eine fixe Idee —
wie die Angst, im Sommer zu sterben
wenn man schneller verwest

The End of Idling

1

Meager loneliness:
Coldness
Night
Coated lips
Downcast eyes

2

Thinking of you
in the drizzling gloom of the boulevards
I feel my hands turn hot
wanting you
my thoughts
scratch the clothes off your body
to be closer to you

3

We act as if being alone were a problem
perhaps it is a fixed idea

4

Frau von hinten:
Auch du, Kurzgeschorene mit dem starken Nacken,
wirst eines Tages den VERLUST erleben—vorbei die Vorstellung der krachenden Guillotine
in deinen Halswirbelknochen

5

Métro Raspail:
In die unheimliche Dunkelheit
zieht es die Leute weg von der hellen Station
in die Métrotunnels
Und das schwache Licht mit ihnen an den Tunnelwänden!

6

Endlich anhalten:
Im Rinnstein fliesst Wasser
schattenhaft über Stanniolpapier
und plötzlich tun die Zähne weh

7

Drei Totenschädel:
Im Café sitzen drei Burschen
und haben ihre Sturzhelme
(mit offenem Visier)
neben sich auf den Boden gestellt

8

Die Arme reckend:
Herrlich ist das Leben heute! (Pause.)

like the fear of dying in summer
when you decompose more quickly

4

Woman from behind:
You, too, shorthaired one with the bullneck,
will experience LOSS one day—
gone the image of the guillotine
crashing into your neckbone

5

Métro Raspail:
The people are drawn
from the bright stations
into the ominous darkness
of the métro tunnels
And the dim light with them at the tunnel walls!

6

To stop at last:
Water flows in the gutter
shadowlike over tinfoil
and suddenly your teeth hurt

7

Three death's-heads
Three fellows are sitting in a cafe
and have put their crash helmets
(visors open)
next to them on the floor

Und irgendwo stirbt wieder einer auf die unverschämteste
Weise—
Bei der Vorstellung von dem allgemeinen höllischen Tod
in einer engen Strasse stehenbleiben
und das Wort tragisch erleben

9

Betrunken um Mitternacht:
In der Cafétoilette
vor dem Abfluss im Boden stehend
pisst du plötzlich gegen ein gotisches Kirchenfenster
Und auf dem Weg nach Hause
siehst du die hellerleuchtete Métro weit weg
am Ende der Strasse durch die Dunkelheit ziehen
als bewegliche Leuchtschrift mit den
Tagesnachrichten deiner Feinde

10

Samstagabend am Boulevard St. Germain:
Einerseits versammeln sie sich vor der
Volksmusik auf den Strassen
Andrerseits werden sie verrückt

11

He, du an der Strassenecke:
die Geschichte von der Einsamkeit des modernen Menschen
kennen wir ja inzwischen
Nun verschwinde auch du nachts von den
windigen Strassenecken!

8

Stretching your arms:
Life is wonderful today! (Pause)
and somewhere someone is dying again
in the most shameless fashion—
To stop in a narrow street
at the thought of the general hellishness of death
and to experience the word "tragic"

9

Drunk at midnight;
Standing before the pissoir
in a café toilet
you suddenly find yourself pissing
against a gothic church window
On the way home you see the brightly lit métro
move through the dark
far at the end of the street
as moveable neon writing
with the daily news of your enemies

10

Saturday night on the Boulevard St. Germain:
On the one hand they group around the folk music
on the streets
on the other hand they go mad

12

Schöne Unbekannte mit dem breiten Gesicht,
die du drinnen im Restaurant an der Zigarette ziehst:
Im Vorbeigehen auf der Strasse
erkenne ich dein Gesicht
und es wird undeutlich,
aufblühend in meiner Erinnerung

13

Im Métrowagen sitzt auf einem Klappsitz
eine Frau mit geschlossenen Augen
als ob sie da auf den Tod warte
Dass die Kassiererin im Supermarkt ihr
den Plastiksack hinwerfen wird
ohne sich dabei nach ihr umzudrehen
wird sie erzittern lassen
vor still triumphaler Genugtuung
Zu Hause riecht sie hilfesuchend an dem Block Seife
die so beflügelnd »Savon de Marseille« heisst
und an einer Scheibe frischer Butter
die mit einem Draht von einem mächtigen
Klumpen geschnitten wurde
und an einem noch vom Markt kalten Apfel

14

Anna Magnani in MAMMA ROMA

Sie hat die Nachricht vom Tod ihres Sohnes
empfangen.
Durch das Fenster seines Zimmers
wo auf dem Bett noch seine Sachen liegen

11

Hey, you at the street corner:
In the meantime we know all about
the loneliness of modern man
Now, why don't you too disappear
from the windy street corner at night!

12

Beautiful stranger with the wide face,
smoking a cigarette inside the restaurant:
Passing by on the street
I recognize your face
and it becomes indistinct,
unfolding in my recollection

13

A woman is sitting on a folding seat in the métro
with closed eyes
as if waiting for death
The fact that the cashier at the supermarket
will throw her a plastic bag
without even turning around
will make her tremble with triumphant satisfaction
At home she imploringly sniffs the bar of soap
so exhiliratingly called "Savon de Marseille"
and a piece of fresh butter
cut from a big hunk with a fine wire
and an apple still cold from the market

sieht sie die Neubauten des Stadtrands
und dahinter die erbarmungslose Kuppel
der EWIGEN STADT
—hinausgetragen aus der begrenzten Welt
in das Universum des Schmerzes

15

Heute schauen dich die Leute so seltsam freundlich an
wenn sie entgegenkommen—
Sind sie eigeweiht
und also zuvorkommend wie zu allen
bei denen es nur noch eine Zeitfrage ist?

16

Cimetière Montparnasse:
Es ist Nachmittag
und die Katzen springen zwischen
den Gräbern weg wie Lebensaugenblicke
Lebensaugenblicke springen wie Katzen
zwischen den Gräbern grosser Friedhöfe
Die trockenen Ahornsatmenbüsche sirren
und die Wolken ziehen am Himmel

17

Zufrieden mit einer Arbeit
gehst du ins Café
Du stehst an der Musicbox
und an der Theke steht eine Frau mit weissen Stiefeln
Und eigentlich müsste dieses Gedicht
jetzt weitergehen

14

Anna Magnani in MAMMA ROMA

She has received the news of her son's death
Gazing through the windows of his room
his things still lying on his bed
she sees the new developments at the edge of the city
and behind them the merciless dome
of the ETERNAL CITY
—borne out of the limited world
into the universe of pain

15

It is odd how friendly the glances are that people give you
today
as they approach you—
are they in the know
and therefore as obliging as to everyone
with whom it is just a question of time?

16

Cimetière Montparnasse:
It is noon
and the cats are jumping away between the graves
like moments of life
moments of life jump away
like cats between the graves of large cemeteries
the dry acorn seed pods are whirring
and the clouds move across the sky

18

Pilger mit den schmerzblinden Augen!
Bevor du registriert bist von den
uferwechselnden Flaneuren:
Gesammelt an der Schreibmaschine
halte ich deine offiziell nicht bestätigte
ZWISCHENZEIT fest
Unerschütterlich stehen meine Worte da
für dich
ohne mich

17

Content with a piece of work
you go to a café
You stand by the juke box
and by the counter stands a woman with white boots
and actually this poem ought to go on now

18

Pilgrim with the painblind eyes
Before you are registered
by those who idle back and forth
between the right and left banks:
Self-collected at the typewriter
I mark your officially unconfirmed INBETWEEN-TIME
Imperturbable my words stand here
for you
without me